D1015414

Gérer les conflits

De l'affrontement à la coopération

Didier Noyé

Livret réalisé à partir de la base documentaire d'INSEP CONSULTING

Illustrations d'Etienne Appert

Bibliothèque nationale du Québec

INSEP CONSULTING
Éditions

Sommaire

Pourquoi gérer les conflits ? _____ 4

1. Pourquoi des conflits ? _____ 5

Les sources des conflits _____ 6
Le malentendu _____ 7
Les non-dits _____ 8
La confusion entre besoin et solution _____ 9
L'affrontement de logiques _____ 10
Des exigences, sources de tensions _____ 11
Les conflits de personnes _____ 12

2. Quels comportements en cas de conflit ? _____ 13

Des voies sans issue _____ 14
Les comportements qui mettent des barrières _____ 15
Quelques procédés déshonorants _____ 16
Des phrases révélatrices _____ 17
Les paroles qui mettent de l'huile sur le feu _____ 18
Comprendre et gérer les émotions _____ 19
Établir une bonne communication _____ 20
Écouter _____ 21

Remonter aux besoins _____22
Adopter une démarche de résolution de problème _____23
Construire ensemble _____24
Ce qui permet la coopération : le respect de soi et des autres ____25
Ce qui empêche la coopération : une image dégradée de soi
ou des autres _____26
Les comportements manipulateurs à éviter _____27
Persécuteur, victime, sauveur _____28

3. Comment traiter un conflit ? _____29

Stratégies et démarches de traitement des conflits _____30
Les différentes stratégies possibles _____31
Stratégie de collaboration, d'évitement ou d'accommodation ____32
Stratégie de compromis, stratégie d'imposition _____33
Fil conducteur pour traiter un conflit _____34-36
Pratiquer le feed-back _____37
Arrêter l'agression _____38
Répondre aux critiques _____39
Répondre aux demandes impossibles _____40
DESC pour ouvrir un conflit _____41
Négocier pour sortir du conflit _____42

4. Peut-on prévenir les conflits ? _____43

Expliciter les règles du jeu _____44
Préparer les décisions en concertation _____45
Encourager l'expression des désaccords _____46
Définir les modalités de traitement des conflits _____47

Lectures complémentaires _____48

Pourquoi gérer les conflits ?

Il est préférable de gérer les conflits plutôt que de les ignorer, de les minimiser, de les laisser traîner. Les conflits sont naturels dans le cadre du travail et il est possible de les traiter de façon constructive.

Le conflit a sa place dans la vie d'une organisation. Une organisation qui se transforme, qui s'adapte à de nouvelles exigences génère des tensions.

À l'inverse, l'absence totale de conflit devrait nous inquiéter ; elle peut être le signe d'une organisation qui se donne des objectifs de confort, qui ne relève aucun défi et donc qui court peut-être un risque.

Un manager doit, à son niveau, savoir gérer les situations difficiles, en particulier celles qui sont génératrices de conflits. Le conflit n'est pas un accident dans l'activité du manager ; il est inséparable de cette activité.

1. Pourquoi des conflits ?

Les sources des conflits

Différend

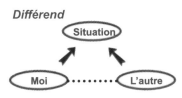

Affrontement

On constate souvent une dégradation liée à un différend non traité.

Différend : les personnes ont des positions divergentes vis-à-vis de la situation ; la volonté d'aboutir ensemble existe encore.

Affrontement : antagonisme, opposition entre les personnes ; évolution vers un rapport de force.

Le conflit résulte de difficultés ou de problèmes non résolus, de besoins non satisfaits. Les causes d'un conflit peuvent être multiples.

Un conflit est fréquemment traité par la fuite du problème ou par l'imposition d'une solution par une des parties en présence. Il est donc important de comprendre ce qui génère des conflits pour avoir une réaction appropriée.

Ce recueil propose des recommandations pour le traitement des situations conflictuelles entre les personnes ; il n'a pas pour objet le traitement des conflits sociaux collectifs.

Contrairement à ce que l'on peut croire, le désir de communiquer est naturel mais la capacité à communiquer ne l'est pas du tout. Cette contradiction entre le désir et la capacité est source de nombreuses frustrations.

Quand deux personnes se rencontrent à un instant t, il faut se rendre compte que ce qui essaie d'entrer en contact, ce sont deux cerveaux de 12 à 14 milliards de neurones que la culture, l'éducation, l'expérience, le caractère ont câblés de façon unique. Quand on sait que les problèmes majeurs des ordinateurs sont les interfaces, on comprend mieux quelles difficultés de vocabulaire, de tournure d'esprit, de façon de penser, ces deux cerveaux vont rencontrer. Au fond, au lieu de s'étonner qu'il y ait tellement de malentendus, il faudrait s'émerveiller que, malgré tout, les humains réussissent à communiquer.

Une source de conflits est le *malentendu*. Expression admirable qui montre que les désaccords sont souvent une question d'écoute. Au XVIIème siècle, on disait, pour dire à quelqu'un qu'on l'avait compris : *« Je vous entends »*.

Dans la relation entre deux personnes, il y a généralement des domaines où l'accord est bien identifié ; il peut aussi exister des zones de désaccord explicite. Mais il y a parfois une importante zone de flou, de non-dits.

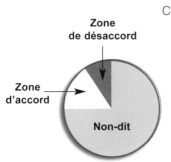

Zone de désaccord

Zone d'accord

Non-dit

Cela représente une source potentielle d'interprétation et de conflits. Il existe du flou sur les attentes réciproques, sur ce qu'il convient de faire, sur *qui fait quoi*. « *Cela va sans dire* ». On croit que les choses vont de soi, mais ce n'est pas le cas.

Et s'il y a des insatisfactions, on n'en parle pas, on suppose que l'autre se rend compte des effets produits par son action. « *Inutile d'en rajouter* ».

Une source de conflits : les non-dits. On ne pense pas ou on n'ose pas dire les choses au bon moment.

Un désaccord ouvert est moins nuisible qu'un conflit larvé. Un problème ignoré est un problème amplifié.

La confusion entre besoin et solution

L'origine d'un différend se situe souvent dans la confusion entre un besoin et une solution, puis dans la rationalisation destinée à justifier sa position et enfin dans l'attitude d'intolérance croissante.

A a un besoin et il a imaginé une solution pour y répondre qui se trouve bloquée par B, ce qui est source de frustration. La situation va s'altérer de plusieurs façons :

A va s'encombrer de raisonnements justificatifs qui, petit à petit, vont occulter son besoin profond. La solution va faire passer au second rang le besoin lui-même (surtout si le besoin est peu avouable). On en vient à confondre raison profonde et rationalisation.

En même temps, l'attitude de A devient intolérante. Au début il dit : « *On pourrait faire cela* », puis « *On devrait faire cela* ». Ensuite : « *Il n'y a qu'à faire cela* », et « *Il n'y a que cela à faire* ».

Arrivé ici, A est en situation bloquée. Il ne connaît plus lui-même très bien son besoin. Les fausses justifications cachent son besoin de départ.

Au même moment, B est bloqué par tel comportement de A. Le même processus va se produire en lui et B va arriver à une solution aveugle, bloquée, entachée des mêmes insuffisances. Et les deux solutions sont inconciliables. Or, les besoins d'origine sont souvent conciliables.

Dans une organisation, différents services ou départements sont porteurs d'une logique qui leur est propre. Le siège a une vue différente du terrain, le marketing n'a pas la même logique que la production, etc.

Il y a là une source de conflits importante si les objectifs donnés semblent contradictoires, si chacun s'enferme dans sa logique propre et défend son territoire sans souci d'une performance globale de l'organisation. Il est naturel qu'il y ait des tensions entre des acteurs qui n'ont pas les mêmes rôles et les mêmes positions. Il faut parvenir à conjuguer les logiques différentes et non les opposer.

Il arrive que la communication s'enlise dans l'indifférence : on ne cherche plus à communiquer, soit parce qu'on a constaté que cela ne sert à rien, soit parce qu'on ne veut pas subir l'agressivité d'autrui. Cette attitude se traduit par des comportements passifs.

Il arrive que les désaccords se nourrissent de préjugés : « *Les fonctionnels ne comprennent rien* » ; « *C'est un informaticien, c'est tout dire...* » ; « *Les gens des méthodes feraient bien de revenir un peu en fabrication* ». Ce refus de comprendre entraîne des comportements agressifs.

Des désaccords peuvent porter sur plusieurs thèmes concernant la bonne marche d'une organisation :

- Désaccord sur **les faits**, sur l'état de la situation, si les personnes ne disposent pas des mêmes informations ou n'ont pas accès aux mêmes sources.

- Désaccords concernant **les buts** : objectifs différents ou opposés ; rejet d'objectifs imposés sans consultation préalable.

- Désaccords sur **le choix des actions** à engager pour atteindre des objectifs de performances en qualité, coûts, délais.

- Désaccords sur **le partage des ressources** pour mener les actions.

- Désaccords sur **les comportements**, les méthodes employées, sur les modes de décision.

- Désaccords sur **la façon dont certains respectent leurs engagements**.

- Désaccords concernant **les valeurs**, la manière d'exercer le pouvoir, l'atteinte à des valeurs individuelles ou collectives (respect des personnes, sens du client...).

Ces types de conflits sont très productifs s'ils sont correctement gérés. Ils peuvent être l'expression d'un haut niveau d'exigence. Ils contribuent à faire progresser l'ensemble de l'organisation.

Les conflits de personnes

Dans ce dernier cas de figure, **le conflit vise la personne** de l'interlocuteur, avec du mépris, des attaques personnelles, des agressions verbales. De tels conflits sont très destructeurs, ce qui n'est pas nécessairement le cas des conflits qui ont un objet extérieur. Ils ne doivent pas être tolérés.

Les conflits de personnes sont alimentés par les préjugés, les profils de personnalités différents.

Une source de tensions : nous avons tous une riche personnalité, mais chacun a ses propres modes de fonctionnement et peut parfois avoir du mal à s'accommoder de ceux des autres. Exemples :

Une personne introvertie peut trouver les extravertis superficiels et trop bavards ; inversement, ces derniers peuvent trouver les introvertis plutôt froids ou distants, et sans toujours en comprendre la raison.

Un esprit qui a le sens du concret peut trouver que l'esprit intuitif est inconstant ; il est lui-même perçu par l'intuitif comme matérialiste et sans imagination.

Celui qui fonctionne avec sa logique peut sembler condescendant à celui qui marche aux sentiments ; celui-ci peut être perçu comme étant sensible.

Enfin, une personne au style de vie souple et adaptable peut sembler irresponsable et précipitée à une personne au style de vie très organisé ; à l'inverse, celle-ci peut sembler rigide et crispée au premier !

Chaque mode de fonctionnement a ses qualités et ses limites. Quand les personnalités sont trop éloignées, chacun peut mal interpréter les comportements opposés aux siens. Ceci provoque des tensions qui peuvent dégénérer en conflits.

2. Quels comportements en cas de conflit ?

Prenons l'exemple de deux contrôleurs dans le même atelier qui ont des manières de contrôler différentes dans leurs secteurs respectifs. Leurs résultats à chacun sont excellents et comparables, mais les différences dans l'action entraînent des bruits de couloir, des frustrations, des revendications... Les deux manières de faire sont inconciliables et chacun est convaincu d'avoir raison.

Une première erreur consiste, pour chacun, à considérer que sa solution est non-négociable et à **se concentrer sur sa propre solution pour en montrer les avantages,** le bien-fondé, et pour la faire triompher. C'est alors l'affrontement de deux comportements d'imposition. Si l'un des deux réussit à imposer sa position, la solution retenue laissera à l'autre un désir de revanche.

« Quand quelqu'un dit :
« Je me tue à vous
le dire... »
Laissez-le mourir. »

Jacques Prévert

Une deuxième erreur consiste pour chacun à considérer sa solution comme non-négociable et à **se concentrer sur la solution de l'autre pour en montrer les faiblesses,** la fragilité, l'inconsistance. On parle peu de sa position à soi mais on s'étend sur la position de l'autre pour la faire céder. La solution trouvée laissera un goût d'amertume et sera probablement une cote mal taillée.

Bien sûr, il faut être au clair sur le non-négociable, mais il faut le situer au bon endroit. Il s'agit de remonter aux besoins sans se crisper sur sa solution.

Les comportements qui mettent des barrières

En cas de différend, certains comportements n'arrangent rien et construisent des barrières entre les personnes :

- *rejeter ce que dit l'autre,*
- *justifier sa propre position,*
- *imposer sa solution, critiquer le comportement de l'autre,*
- *minimiser l'intérêt de ce qu'il dit,*
- *exprimer des jugements,*
- *faire des suppositions,*
- *exiger,*
- *interrompre,*
- *faire pression,*
- *répondre du tac au tac,*
- *argumenter sans fin,*
- *faire perdre la face devant un groupe...*

Deux façons de déraper :

- Confondre nos opinions avec des faits avérés : « *On réduit les coûts au détriment de la qualité, c'est évident* ».
- Éprouver des sentiments *(mécontentement, impatience, agacement...)* ; mais au lieu de parler de ce que l'on ressent, exprimer des opinions, des jugements : « *Ils ne sont pas fiables* », « *Vous êtes lent* », « *Vous êtes énervant* ».

Ces procédés vous sont certainement étrangers. Mais peut-être avez-vous été victime de tels coups bas !

- *Lire dans l'esprit et les sentiments de l'interlocuteur. Lui prêter des intentions qu'il n'a pas.*

- *Interrompre l'interlocuteur pour l'empêcher de retrouver le fil de sa pensée, l'ardeur de son émotion.*

- *Dramatiser à souhait, en rajouter, faire un chantage aux sentiments.*

- *Prétendre que ce qui est dit est déraisonnable, que l'on vous demande l'impossible.*

- *Rationaliser, donner des explications logiques pour éviter de faire face à ses sentiments.*

- *Changer de sujet. Déplacer le terrain des accusations pour ne pas être acculé soi-même.*

- *Humilier son interlocuteur par des paroles blessantes, des comparaisons, l'exposé public de problèmes personnels…*

Des phrases révélatrices

Quelques pétards verbaux qui n'arrangent rien

- *Comment pouvez-vous dire des choses pareilles ! C'est un comble !*
- *J'en étais sûr. Il n'y a jamais moyen de discuter avec vous !*
- *Mais c'est vous qui avez commencé ! C'est de votre faute !*
- *Combien de fois faudra-t-il vous le répéter !*
- *C'est parti ! Vous voilà encore avec vos constantes demandes d'exception en tout !*
- *Je ne vais pas me laisser marcher sur les pieds !*
- *Je préfère ne rien dire. Je ne veux pas entamer une discussion.*
- *De toutes manières, vous n'en faites qu'à votre tête !*
- *Moi en colère ? PAS DU TOUT. J'en ai assez, vous m'entendez ? J'en ai ASSEZ !*
- *Écoutez, je vous ai donné mes raisons 20 fois. Je ne vais pas recommencer*
- *Comment se fait-il que vous n'arriviez jamais à classer les dossiers ?*
- *Évidemment, il voudrait que je lui lèche les bottes !*
- *Pas étonnant que tu sois resté si longtemps au chômage !*

Pour entraîner votre vigilance, caractérisez chacune des phrases ci-dessus au regard des catégories présentées à la page 18.

Les paroles qui mettent de l'huile sur le feu

À éviter à tout prix :

Insultes, mépris…

Accusations.

Ton agressif, agacement.

Intimidation, menace voilée.

Rappel des insuffisances
passées.

Interruption forcée du dialogue.

Généralisation : « *Toujours* »,
« *Jamais* ».

Refus brutal.

Interprétation, lecture
de pensée, intention
prêtée aux autres.

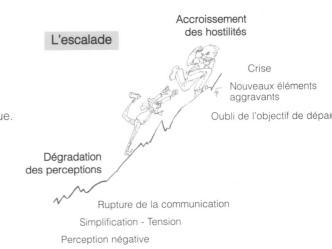

L'escalade

Accroissement
des hostilités

Crise

Nouveaux éléments
aggravants

Oubli de l'objectif de départ

Dégradation
des perceptions

Rupture de la communication

Simplification - Tension

Perception négative

Comprendre et gérer les émotions

Le conflit est une situation où les émotions sont fortes et où le taux d'adrénaline s'élève. Mais si notre cerveau reptilien prend les commandes, la raison risque de perdre pied.

« Tu me mets en colère, tu m'énerves ! » Voilà des formules qui tentent de rendre l'autre coupable d'un sentiment dont on est le premier responsable.

Tout d'abord, il est important d'être conscient de ce qui se passe chez nous et chez l'autre. C'est ce qui permet de gérer les émotions ressenties : les vôtres et celles des autres.

On facilite la communication en reconnaissant les émotions ressenties par l'interlocuteur *(« Je vois que vous être irrité par cette décision... »)* et en exprimant ses émotions en parlant de soi ; éviter d'exprimer des appréciations, des jugements sur l'interlocuteur.

Les origines de l'agressivité : frustration dans le passé, peur de l'autre, désir de revanche.

*« J'ai toujours le dessus
quand je discute seul. »*

O. Goldsmith

Il faut s'occuper de la qualité de la relation autant que du thème qui pose problème. Visez la compréhension mutuelle avant l'accord sur le fond.

Apprenez à manifester votre désaccord sans être destructeur. Ne vous laissez pas entraîner à dire systématiquement des *oui* que vous n'éprouvez pas, ou des *non* si violents qu'ils tendent à réduire l'autre au silence.

Exprimez ouvertement et honnêtement vos sentiments. Exposez les problèmes importants, même si vous craignez de déranger votre interlocuteur. Ne marchez pas constamment sur des œufs !

On peut être très cordial et courtois avec une personne tout en étant très exigeant.

Écouter

C'est l'écoute qui permet de passer d'une logique d'affrontement à une logique de coopération.

Laisser parler votre interlocuteur

Si vous parlez plus de la moitié du temps, vous n'avez pas une attitude d'écoute.

Centrer votre attention sur votre interlocuteur

Restez concentré sur ce que l'autre dit et non sur ce que vous allez lui dire.

Méfiez-vous de vos idées préconçues, de vos propres croyances.

Pratiquer l'écoute active

Questionnez pour clarifier, pour faire avancer l'échange.

Reformulez pour vous assurer d'une bonne compréhension.

Reflétez les sentiments perçus pour montrer qu'ils sont pris en compte.

Laissez des bulles de silence qui permettent la réflexion, la respiration, le ton juste.

Exprimer votre perplexité pour relancer l'interlocuteur et l'inviter à préciser.

Manifestez votre attention par votre regard, votre expression, votre posture physique. Éventuellement, prenez des notes.

L'écoute n'est pas un comportement réflexe, surtout dans une situation un peu stressante. Entraînez-vous !

Remonter aux besoins

Les solutions défendues par les uns ou les autres sont souvent inconciliables, les besoins sont souvent conciliables car chaque personne est dans une situation particulière. Nous disons bien *besoin* et non *objectif.* Car curieusement, chez un être raisonnable, l'objectif ne représente pas toujours le besoin. Deux personnes peuvent avoir des objectifs qui s'opposent, sans que nécessairement leurs besoins respectifs soient incompatibles. Dans ce cas, on peut inventer des solutions nouvelles répondant aux deux besoins.

Faire un pas en avant pour créer un climat d'ouverture : « *Ce n'est pas que je tienne à cette solution ; j'y ai pensé parce que cela me semblait commode. Mais si on en trouve une autre qui me convienne, je serai preneur* ».

Explorer les besoins en se centrant sur l'interlocuteur :
« Qu'est-ce qui est important pour vous ? », « Quelle est votre priorité ? »
« Pourquoi y tenez-vous autant ? »
« À quoi verrez-vous que vos besoins sont satisfaits ? »

Adopter une démarche de résolution de problème

Il s'agit d'affronter ensemble le problème et non de s'affronter l'un l'autre.

« *Nous avons un problème à résoudre* » et non « *Votre problème, c'est que...* »

Dans les méthodes de résolution de problème habituellement utilisées pour la qualité ou les sujets techniques, on insiste sur la nécessité de remonter aux causes pour construire des solutions. Au contraire, pour les problèmes à forte dimension humaine, inutile de vouloir creuser les causes profondes (chacun a droit à ses névroses).

On gagne à se tourner vers l'avenir en se focalisant sur ce qu'il faut faire pour répondre aux besoins.

« *Que peut-on faire ?* » et non « *La faute à qui ?* ».

S'attacher à imaginer plusieurs options possibles. Il s'agit d'être imaginatif pour concevoir des modalités qui répondront aux besoins de l'un et l'autre.

Explorer les hypothèses : « *Si on faisait ainsi, qu'est-ce qui serait changé pour vous ?* »

S'orienter vers l'action.

Contrôler par le dialogue toutes vos suppositions. Ne vous engagez pas dans l'action avant d'être sûr que vous avez compris et que vous avez été compris.

Reconnaître ce qui est juste dans ce que l'autre dit.

Communiquer de façon positive, en parlant de l'avenir. Se focaliser sur le résultat recherché et non sur les faiblesses du passé.

Demander des propositions.

Vérifier que toutes les parties prenantes vont appuyer les orientations prises.

Prévoir un dispositif de suivi des actions décidées.

Ce qui permet la coopération :
le respect de soi et des autres

L'attitude fondamentale qui permet d'instaurer une coopération efficace est basée sur **une vision positive de soi et de l'autre : position + +.** L'estime de soi et l'estime de l'autre sont des ingrédients indispensables pour instaurer une relation de confiance*.

« Je suis bien et l'autre est bien également ». « J'ai confiance en moi et l'autre est digne de confiance, donc nous allons pouvoir collaborer ». « S'il y a un problème, nous pourrons le surmonter ».

Il s'agit d'une posture lucide et réaliste de ce qu'il est possible de construire ensemble. Ce n'est pas un optimisme béat et naïf. Si des critiques sont faites, elles n'atteignent pas les personnes et on peut en tirer profit.

Cette tournure d'esprit est celle qui permet d'instaurer une logique d'action gagnant/gagnant. Cela signifie que je n'ai pas besoin que l'autre perde pour que je sois gagnant. La question à se poser n'est pas *« Comment se partager le gâteau ? »*, mais *« Comment agrandir le gâteau ? »*. Comment créer plus de valeur ensemble.

* Lire de Vincent Lenhardt, *L'analyse transactionnelle*, éditions d'Organisation, 2003 et de François Délivré : *Le pouvoir de négocier. S'affronter sans violence*, InterÉditions, 2002.

*Une image dégradée de soi ou des autres ne pousse pas
à un comportement coopératif efficace.*

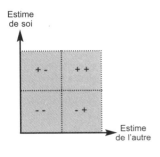

La position : *« Je suis OK et l'autre ne l'est pas »* correspond à
un sentiment de supériorité face à quelqu'un qui n'est pas jugé
à la hauteur. Position + - . *« C'est de la faute de cet abruti »*.
Cette position + - pousse à être agressif ou arrogant, ou encore
paternaliste.

La position : *« Je ne suis pas grand chose, les autres valent
mieux que moi »*, *« Cela n'arrive qu'à moi, je suis incompris »*
manifeste un sentiment d'infériorité, une dévalorisation de soi.
Cette perte de confiance en soi, en position - + , peut conduire
à de la soumission, à des rancœurs, à une rébellion.

La position : *« Je ne suis pas à la hauteur, les autres ne valent
pas mieux que moi »*, *« Tout est pourri »* est une position - - de
découragement ou de désespoir, où l'on est tenté de se replier
et d'éviter le conflit.

Les comportements manipulateurs à éviter

L'Analyse Transactionnelle a mis en évidence des modèles répétitifs de comportements subconscients qui sont des rôles inadéquats : *le « persécuteur », la « victime », le « sauveur »*. Ces rôles entretiennent des relations piégées dans des jeux psycho-logiques dont il ne sort rien de positif*.

Le rôle de persécuteur

> Le *« persécuteur »* pense qu'il a raison et que l'autre est un incapable ; il le pousse à se sentir coupable. Il brime, il manipule en faisant pression ou en menaçant. Ce qui donne une envie de revanche.

Le rôle de victime

> La *« victime »* se laisse faire et a une posture apparente de faiblesse. Mais c'est aussi un moyen de manipuler et d'obtenir ce que l'on veut. La *« victime »* a envie qu'on ne lui reproche rien et n'a pas véritablement envie d'être aidée. Elle accumule les rancunes.

* Voir à ce sujet : *Des jeux et des hommes,* par Éric Berne, Stock.

Le rôle de sauveur

Le « *sauveur* » vient arracher la « *victime* » des griffes du « *persécuteur* ». Il cherche à arranger les choses. Mais le sauveur ne sauve personne, même pas lui-même, et il finit par tomber dans le rôle de victime ou de persécuteur.

Persécuteur

Victime

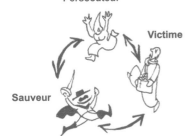

Sauveur

Les 3 rôles s'expriment dans les conflits et sont une bonne façon de perdre son temps sans résoudre les problèmes. Les rôles permutent, l'attaquant devient l'attaqué, le sauveur devient la victime ou le persécuteur.

Pour sortir de cette situation, il faut repérer les phénomènes psychologiques à l'œuvre, casser le jeu psychologique et refuser d'endosser un rôle stéréotypé.

3. Comment traiter un conflit ?

On demanda un jour à Henri IV :

« Sire, comment se débarrasser de ses ennemis ? »

« Le mieux est de s'en faire des amis »,
répondit le roi.

Il y a plusieurs façons de faire face à un conflit car les situations sont variées. Dans ce chapitre vous trouverez :

- Une présentation des différentes stratégies que l'on peut adopter en situation de conflit.

- Un fil conducteur en 7 phases pour traiter un conflit.

- Quelques démarches simples adaptées à différentes situations.

Ces méthodes sont efficaces si elles sont fondées sur des attitudes et des comportements constructifs tels qu'ils ont été présentés au chapitre précédent.

Les différentes stratégies possibles

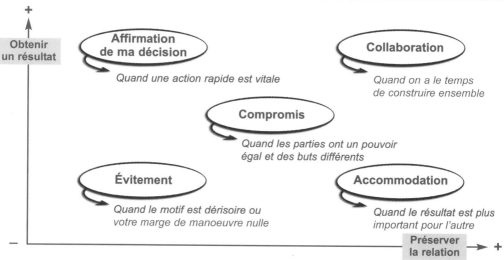

Ces différentes stratégies peuvent se situer sur un tableau où l'on fait apparaître l'importance que vous donnez à préserver la relation avec l'autre et l'importance que vous donnez à obtenir le résultat que vous recherchez. C'est bien sûr la stratégie de collaboration qui permet de conjuguer ces deux buts. Mais les autres stratégies peuvent être justifiées dans certains cas.

Adapté de Ruble T. & Thomas K., *Organizational Behavior and Human Performances*, 1976.

Stratégie de collaboration

C'est l'approche la plus constructive ; elle prend en compte les besoins des uns et des autres dans une logique gagnant/gagnant.

« Je veux comprendre son point de vue et son besoin ; Je veux qu'il fasse de même. Je crois que nous sommes capables de trouver un terrain d'entente. »

Cette démarche est la plus riche, elle prend du temps et suppose une attitude constructive de la part de chacun.

Stratégie d'évitement

Vous renoncez à traiter le problème et ignorez le conflit. C'est justifié si l'objet du conflit est dérisoire. C'est aussi une démarche provisoire de prise de recul si vous considérez que ce n'est pas le lieu ni le moment de traiter la question, si vous pensez qu'il vaut mieux laisser les esprits se calmer pour l'instant. Mais si le problème est important, la stratégie d'évitement devient la stratégie de l'autruche et tout le monde y perd.

Stratégie d'accommodation

Vous vous accommodez d'une solution qui ne vous convient pas. Vous mettez fin au désaccord en acceptant la solution de l'autre. C'est justifié s'il n'y a pas beaucoup d'enjeu pour vous et si la préservation de la relation avec l'autre a beaucoup d'importance pour vous. Mais c'est une logique où l'autre gagne et vous êtes perdant. Vos besoins n'ont pas été pris en compte et si la question est importante, rien n'est réglé, les sources du conflit demeurent.

Stratégie de compromis

Tu voulais 6%, je te propose 2%. Tombons d'accord sur 4%.

Une semaine on fera à ton idée, une semaine à la mienne...

On négocie, on marchande, donnant donnant, chacun lâche un peu et on se met d'accord à mi-chemin de ce que chacun voulait. Le compromis peut être une solution quand les ressources à se partager sont limitées, quand les buts divergent et que les parties ont un pouvoir comparable. Le compromis résulte d'un rapport de force ; il permet de limiter les dégâts, mais il n'a pas exploré toutes les options possibles. Il peut facilement aboutir à des solutions dégradées qui ne donnent pas satisfaction.

Stratégie d'imposition : affirmation de ma décision

Vous imposez votre solution en vous appuyant sur votre position de force ou votre pouvoir hiérarchique. C'est justifié quand une décision rapide est vitale, quand vous considérez être dans le domaine du « *non-négociable* ». Mais vous créez ainsi une situation gagnant/perdant si votre interlocuteur a le sentiment de ne pas être entendu et d'être écrasé. Le perdant n'a pas dit son dernier mot et nous avons là la source de conflits futurs. Comme nous l'avons vu plus haut, c'est souvent une erreur de considérer que sa propre solution est non-négociable.

Fil conducteur pour traiter un conflit

1. Ouvrir le dialogue positivement

Entrer en relation pour communiquer de façon constructive. Reconnaître que le différend existe, sans exprimer de reproche. **Décrire les faits précisément.**

« Nous avons un problème qui mérite d'être traité. Êtes-vous d'accord pour en parler ? »

S'assurer de la réceptivité de l'autre.

2. Explorer le point de vue de l'autre

Donner à la personne la possibilité de s'exprimer.

Repérer quelle est sa position, quelle est son attente.

Pratiquer une bonne écoute ; poser des questions pour comprendre ; demander des faits.

Remonter aux besoins et aider à les définir : *« Qu'est-ce qui est important pour vous ? »*

Reformuler les idées exprimées.

Refléter aussi les sentiments que vous constatez chez votre interlocuteur : *« Je vois que vous êtes contrarié... déçu... impatient... ».* Ainsi vous manifestez votre écoute, votre attention.

3. Exprimer votre point de vue

Exposer votre position. Mentionner les faits constatés et qui posent problème pour vous. Exprimer ce que vous ressentez (mécontentement, déception, colère...).

Exprimer quel est votre besoin : *« Ce dont j'ai besoin, ... »* et non pas *« Vous devez... »*

4. Mettre en lumière les points d'accord et les différences

Souligner les points d'accord et aussi les points de désaccord pour mesurer le chemin à faire. Ne pas minimiser les points de désaccord : vous auriez des difficultés par la suite.

5. Chercher ensemble des solutions au problème

Une fois les besoins reconnus, il s'agit de créer des solutions entièrement nouvelles, compatibles avec les besoins mutuels.

Questionner la personne sur les solutions qu'elle propose.

Générer des options avec différentes hypothèses : *« Quelles sont les variantes possibles ? »*.

6. Décider ensemble de nouvelles dispositions

Évaluer les options et choisir ensemble.

Choisir une solution qui convienne aux deux.

Définir conjointement les actions à mener.

« Nous sommes bien d'accord sur ce qu'il y a à faire ».

7. Mettre en œuvre et vérifier les effets produits

Mettre en application.

Évaluer les effets produits et laisser la porte ouverte à des réajustements possibles.

Pratiquer le feed-back pour éviter le non-dit

Donner du feed-back

Communiquer votre constat en citant des faits objectifs : « *Vous avez fait ceci...*» ; « *Lorsque vous dites...* »

Indiquer l'effet produit et les conséquences : « *Voici ce que cela a provoqué...* » ; « *J'ai ressenti... parce que...* »

Inviter à poursuivre pour les comportements positifs. **Ou demander un changement.**

Échanger pour s'assurer que la perception de la situation est partagée. Chercher ensemble des pistes d'action.

Recevoir le feed-back

Écouter ce que l'autre a à dire. Vérifier que vous comprenez.

Recevoir le feed-back sans se justifier. La perception de votre interlocuteur est une information en soi.

Accepter le feed-back et remercier celui qui vous l'a donné.

Demander du feed-back

Sans attendre les réactions de vos interlocuteurs, demander du feed-back sur l'effet produit par vos actions et vos paroles.

Une crise de nerfs n'est pas un point de vue

- Canaliser les comportements agressifs ; prendre la parole pour **souligner que la façon de communiquer nous conduit à une impasse**, à une situation où tout le monde sera perdant. Ne pas riposter sur le thème du conflit, mais exprimer votre volonté de ramener l'échange à une logique constructive.

- **Accueillir l'émotion et arrêter l'agression.** « *J'entends bien que vous êtes en colère, excédé, etc.* ». Il est légitime d'exprimer sa réaction de façon vigoureuse, mais nous devons nous attacher à respecter les personnes et à respecter les faits.

- Si nécessaire, **prendre le temps de laisser retomber l'adrénaline.** En effet, quand les émotions sont très fortes, il est difficile de mettre la raison aux commandes.

- Calmer le jeu et **manifester votre bonne volonté** en demandant : « *Qu'est-ce que vous attendez de moi ?* ».

- Par des questions, **repérer quel est le stress** ou le besoin insatisfait qui a suscité cette agression.

Pour réagir sans aggraver les tensions :

- **Écouter** la critique et chercher à entendre ce qui est dit.

- **Reformuler le contenu de la critique** pour montrer à la personne qu'elle est entendue.

- **Demander à votre interlocuteur de préciser par des faits** ce qu'il vous reproche. Ne pas chercher à deviner ce qu'il veut dire.

- Éviter de vous justifier ou de critiquer à votre tour.

- Si la critique est juste ou partiellement juste : reconnaître votre part de responsabilité (les torts sont souvent partagés) ; puis proposer de rechercher ensemble des solutions.

- Si la critique vous semble non fondée : exprimer votre perplexité devant ce qui est dit ; faire part des informations à votre disposition, présenter calmement les faits concernant la situation et vérifier que la connaissance de ces informations est partagée.

Répondre aux demandes impossibles

- Apprécier s'il convient de répondre immédiatement ou après un délai de réflexion. Ne pas faire de promesses impossibles à tenir.

- Poser un refus à l'objet de la demande et non pas à la personne.

- Si nécessaire, montrer clairement, au cours de l'entretien, en quoi la demande est irrecevable. Les motifs peuvent être variés : *moyens limités, risques encourus, priorités à prendre en compte, principes ou règles à respecter, équité entre les personnes, attentes des clients, respect des engagements...*

- Il est préférable de donner une très bonne raison plutôt que plusieurs raisons plus ou moins convaincantes.

- **Questionner pour voir quel est le véritable besoin derrière la demande.**

- **Aider l'interlocuteur à envisager d'autres alternatives. Être clair sur le non-négociable.**

DESC pour ouvrir un conflit

Il est souvent utile de prendre l'initiative et de passer du conflit rampant au conflit ouvert. DESC est un moyen mnémotechnique simple pour réagir à une situation conflictuelle (c'est un condensé de la démarche en 7 points, page 34).

Décrire les faits

Dire ce qui s'est passé de façon précise et factuelle. *Qui, quoi, combien de fois, quand, comment ?* Montrer ce qui pose problème, sans généralisation, ni interprétation ou déduction hâtive.

Exprimer votre sentiment

Dire ce que vous ressentez en constatant ces faits. Parler de vous et non pas des autres. Votre ressenti : *insatisfaction, déception, gêne, colère, inquiétude, préoccupation, dévalorisation...*

Suggérer une solution

Proposer une façon de solutionner le problème. Soit une façon de faire qui élimine la cause du problème *(une règle du jeu entre nous, un moyen de supprimer l'insatisfaction),* soit des modalités pour examiner le problème ensemble et construire une solution. Être simple et précis en proposant les suites à donner.

Citer les conséquences positives de la proposition

Montrer l'intérêt mutuel que représente cette proposition, les avantages pour votre interlocuteur, pour vous-même, pour l'organisation. Conclure en s'assurant de l'accord de la personne pour une décision claire.

La négociation peut être un moyen de mettre fin à un conflit. C'est une négociation gagnant/gagnant si les intérêts et les besoins des deux parties sont respectés. Mais la négociation peut aussi tourner au marchandage et aboutir à un compromis.

Le déroulement d'une négociation ne peut pas être programmé, mais il faut quand même se préparer par quelques questions.

- **Quels sont les enjeux de cette négociation ?** Quels enjeux pour vous, qu'est-ce qui est important, de quoi avez-vous vraiment besoin ? Quel est le minimum à sauvegarder ? Quels enjeux pour l'autre ?

- **Quelles sont les différentes options possibles ?** Quelles solutions envisager ? Peut-on en trouver d'autres ?

- **Quels critères prendre en compte pour apprécier les options ?** Commodité de la solution, efficacité, coût, facilité de la mise en œuvre...

- **Quelle porte de sortie pour vous en cas de non-accord ?** Qu'allez-vous faire si vous ne parvenez pas à un accord ?

- **Quelle porte de sortie pour lui ?** Que va-t-il faire s'il n'y a pas d'accord ?

- **Faut-il mettre l'accord par écrit ?**

4. Peut-on prévenir les conflits ?

Pour bien travailler ensemble et éviter les sources de conflits, il est important de clarifier les règles du jeu communes.

Règles au sein d'une équipe

Des règles de fonctionnement : *Qui fait quoi ? Qui est responsable de quoi ? Comment décide-t-on les choses ?*

Des règles de comportement et de communication. Exemples : *écoute mutuelle, respect des autres, respect des horaires, transmission des informations, entraide en cas de difficulté...*

Il est très utile d'exprimer les attentes des uns et des autres, de définir ensemble des règles et de les officialiser au sein d'une équipe.

Règles pour les relations client-fournisseur ou entre différents services

Favoriser une connaissance mutuelle. Veiller à exprimer les attentes réciproques.
Établir des ententes claires et précises sur ce qui doit être fait, dans quels délais.
Définir les modalités de coopération, la façon de réguler les échanges et de traiter les incidents éventuels.

Hiérarchie des priorités

Les priorités des uns et des autres peuvent être en contradiction. Les objectifs prioritaires et partagés doivent être bien définis.

Préparer les décisions en concertation

La concertation favorise la compréhension mutuelle et réduit les risques de conflits.

Une bonne pratique consiste à débattre *avant* les décisions plutôt qu'*après*. Il faut faire mentir la formule : « *Les décisions prises sont une bonne base de discussion* », ainsi que le mot de Jules Renard : « *Une fois ma décision prise, j'hésite longuement* ».

Rechercher le consensus pour les décisions importantes afin d'augmenter les solidarités dans l'action. Le consensus ne signifie pas nécessairement l'unanimité ; cela signifie que le point de vue minoritaire a pu être entendu et qu'il consent à la décision. Rechercher le consensus ne signifie pas que la décision devient collective ; une phase de concertation est suivie par une décision du *porteur* de la décision.

Clarifier les modes de décision. Bien définir ce qui est décidé après consultation de certaines personnes, ce qui est décidé par l'ensemble d'une équipe, ce qui relève de la décision d'une personne de l'équipe ou du manager.

Il faut reconnaître que les conflits peuvent arriver dans la vie de l'organisation. Ce ne sont pas des accidents. Les priorités des uns et des autres peuvent être en contradiction.

La confrontation est une situation qui peut être légitime et productive. On ne doit pas taire les problèmes mais les poser au bon moment et avec les bonnes personnes.

Prévoir des modalités pour traiter les conflits, des réunions pour débattre des désaccords.

À faire	À éviter
Exprimer clairement ses attentes.	*Considérer que les rôles et les attentes vont de soi.*
Être bienveillant avec les personnes mais ferme sur les résultats attendus.	*Être dur avec les personnes et flou dans l'expression de ce qui est attendu.*
Susciter le débat. *Accepter la controverse.*	*Laisser dormir les sujets qui fâchent.* *Vivre un conflit larvé.*
Oser s'affirmer.	*Fuir, renoncer à intervenir.*

Définir les modalités de traitement des conflits

Exemple : règle des 3 niveaux de traitement

1. Traitement direct

Si deux personnes ont un désaccord, elles traitent la question d'abord entre elles, directement et rapidement. *Qu'est-ce qui était convenu ? Qu'est-ce qui ne va pas ? Quelles sont les explications ? Que va-t-on faire pour régler la question ?*

2. Médiation

Si la relation directe ne permet pas de déboucher, on demande à un collègue de jouer un rôle de médiation. Ce collègue ne prend pas position ; il facilite le dialogue, l'écoute mutuelle ; il facilite l'analyse du cas et la recherche d'un accord. S'ils sont préparés à le faire, plusieurs collègues de l'équipe peuvent jouer ensemble ce rôle de médiation au cours d'une réunion.

3. Arbitrage

En dernier ressort, demander à la hiérarchie de trancher, ou choisir en commun une personne légitime pour analyser la situation et décider dans le cadre d'un arbitrage. De la même façon que pour les traitements 1 et 2, il s'agit de définir ce qui est décidé pour l'avenir et de suivre la mise en application de cette décision.

Lectures complémentaires

V. Lenhardt, P. Nicolas, A. Cardon, *L'Analyse Transactionnelle*, éditions d'Organisation, 2003.

J. Piveteau, *Mais comment peut-on être manager ? (!)*, INSEP CONSULTING Editions, 2003.

D. Genelot, *Manager dans la complexité. Réflexions à l'usage des dirigeants*, INSEP CONSULTING Éditions, 2003

F. Délivré, *Le pouvoir de négocier. S'affronter sans violence*, InterÉditions, 2000.

E. Berne, *Des jeux et des hommes*, Stock, 1975.